Pour Louis et Henri

ISBN 978-2-211-09311-8
Première édition dans la collection *lutin poche* : octobre 2008
© 2006, l'école des loisirs, Paris
Loi numéro 49 956 du 16 juillet 1949 sur les publications
destinées à la jeunesse : septembre 2006
Dépôt légal : octobre 2008
Imprimé en France par Pollina à Luçon – n° L48471

Émile Jadoul

L'AVALEUR de BOBOS

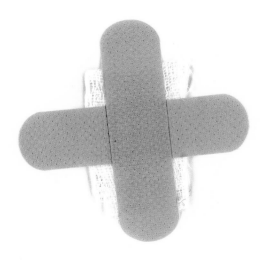

lutin poche de l'école des loisirs
11, rue de Sèvres, Paris 6ᵉ

Mon papa, il est super.
J'aime bien me promener
avec lui dans la neige.

J'aime bien quand il me pousse très fort sur ma luge.
Parfois, il me pousse tellement fort que **patatras !** je tombe.

Alors, Super Papa arrive.

… et hop ! il avale mon bobo.
Tout de suite, je me sens mieux.
Il est super, mon papa !

GLOUPS

Super Papa a déjà avalé
beaucoup de bobos :
c'est sa spécialité !

C'est le champion
des avaleurs de bobos.

Un jour,
badaboum !
Du haut jusqu'en bas,
je suis tombé dans l'escalier.
Je me suis fait un énorme bobo.

J'ai pleuré très fort.
Vraiment très très fort !

ouiiiiinnn

«Voici une mission
pour Super Papa!»
a dit Papa.

Mais...

Badaboum !
Patatras !
Cling clang !
Du haut jusqu'en bas,
Super Papa a trébuché.

Mais alors, même les super papas
se font des bobos ?
Et qui va avaler nos bobos, alors ?

Ouf ! Super Maman est là !

Ma maman,
c'est la championne
des avaleuses de bobos.